VOL. 20
OSAMU NISHI
악마
에 입
했습니다!
이루마 군

## 스즈키 이루마

지나치게 착해빠진 상냥한 소년. 부탁을 받으면 거절을 못 한다. 위기 회피 능력이 뛰어나다. 인간이라는 사실을 들키지 않고, 악마 학교를 평온하게 다니고 싶다.

## 아스모데우스 아리스

파괴와 미덕을 관장하는 가계의 악마. 입시 수석인 우등생. 입학식에서 이루마 때문에 체면을 구기고 발끈하지만, 결투로 완패한 후 이루마에게 충성을 맹세한다.

〈특기 마술=화염계 주문〉

## 발락 클라라

밝고 활기찬 여자 악마. 항상 야단법석에 조용할 때가 없어서, 주위로부터 괴짜 혹은 희귀 짐승 취급을 당한다. 이루마의 상냥함을 접하고 감동해서, 좋은 친구 중 한 명이 된다.

〈가계 마술=한번 본 물건은 뭐든 주머니에서 꺼낼 수 있어!〉

# CHARACTERS

## 암두스키아스
## 포로

### 데루키라

## 푸르손
## 소이

음악을 관장하는 전 13관 악마. 한때 마왕 데루키라의 전속 음악가였으며, 그에게 범상치 않은 마음을 품고 있다. 설리번과는 견원지간.

「소실의 마왕」이라 불리는, 마계의 정점에 군림했던 악마. 그가 모습을 감춰서, 오랜 세월 마왕의 자리는 공석이었다.

어브노멀 클래스의 동급생. 「인식 저해」의 가계에서 태어나, 철저하게 존재감을 지워왔다. 트럼펫에 재능이 있다. 실은 수다쟁이.

## 지금까지의 이야기

인간 말종인 부모님에 의해 악마에게 팔려버린 스즈키 이루마는 마계의 악마인 설리번의 손자가 되어 악마 학교, 바비루스에 입학한다. 인간이란 사실을 숨긴 채 조마조마한 학교생활을 보내면서도, 악마 친구가 늘어난 이루마는 그런 생활을 점점 즐기게 된다. 그런 바비루스에서 가장 중요한 것은 수업을 통해 마계에서의 「랭크」를 올리는 것. 이루마를 비롯한 어브노멀 클래스 학생들은 학교로부터 2학년이 되기 전에 전원이 랭크 「4」가 되어야 한다는 과제를 받는다!! 이 무리한 과제를 달성하기 위해, 맹연습을 거듭한 문제아들은 학교 행사 「음악제」 당일을 맞이한다. 행방을 감췄던 푸르손도 합류해, 다 같이 「리리스 카펫」을 연기한 이루마 일행은 관객들에게 박수갈채를 받았다!! 드디어 심사 발표 순간, 과연 심사원인 암두스키아스의 마음을 움직일 수 있을 것인가…?!

# CONTENTS

목차야♡

# 제169화 마왕의 소리

포로, 다음에는 어디 갈 거야?

글쎄〜〜. 북쪽일까.

또 새로운 악기 찾으러 가는구나〜. 좋겠다〜.

후후후. 선물 잔뜩 가져올게.

그래. 나는 돌아올 거야.

반드시 당신 곁으로 돌아오겠어.

여행을 하며 온갖 소리에 감동해도

결론.

엉망
진창!!

움찔

그래서!!

1점…

죄,
죄송합니다.
제 탓….

땅딸보
머저리
풋내기
주제에.

열받는 거야!
엉망진창
이면서!!

내가···.

왜

대단하지? 끝내주지? 하며 자기 것을 자랑하는 듯한

마음의 소리가 쏙 빼닮았어….

하아…

저 어억!!

얼굴은 하나도 안 닮았지만 말이지!!

「내가 가장 좋아하는 소리는…

그분은 말했어.

와아아아 아아아

에이—
괜찮을
거야.

자
아
보라고.

주목을…

푸, 푸르손,
괜찮을까….

두—둥

어머 어머…

마, 마, 마음의 준비가…!!

방긋 방긋해봐 한번 더!!

성주님~

싫어

참
시끌벅적한걸.

으~~음

시끌 시끌

참
대단하지?

내 손자,

부우

후후후.

아직
형편없지만
말이야!

흥.

하지만 너라면

이루마 군을 마음에 들어 할 거라고 생각했어.

지금

이런

뭐든 다 내다보는 듯한 태도가 짜증 난다고…!!

무거워!

아얏!!

뭐?!

너무해! 깃털처럼 가볍거든?!

식사 정도라면 같이 해줄 수도 있어.

뭐,

그런고로.

⁈!

아직은?!

안 잡아먹어!
아직은!

이루마와
푸르손이
잡아먹히겠어!!

바보
꼬맹이들아!

따라
오도록.

헤

5

… 헤.

헤에에에 에에에?!

전원이 랭크「4」로 올라가지 못하면 『로열 원』 몰수라는 초난제!!

2학기 초에 어브노멀 클래스에게 주어진 것은

제 171화 위업의 연회

멋지게 우승!! 그리고…

문제아들은 수학제를 거치고 음악제에 임해

랭크 「4」.

일단
그 후에
폐회식을
하고

아가레스가!
여자한테
메시지를
받았어——!!

다른 반도
각각 뒤풀이를
하고 있대.

사진—

헤엥

나도….

앗.

많은
분들로부터
축하
메시지가…….

「괜찮으면
여기로 와」
라네.

못 보내!!
못 보냅니다!!

성충뎡!
가플쿠!

우와아
아앗

도와줘!

으음, 부디…

아메리

음악제, 대단했다!

직접 만나 축하해주고 싶다만… 시간이 있는지

아메리 씨!

못 보내! 못 보냅니다!!

인기 참 좋네~~.

미래 예상도

그것도 그럴 게 모두가 「4」라니!

게다가 이루어지는 「5」!!

취재 쇄도!!

칭찬 폭풍!!

하지만 그 전에…

우리를
칭찬해야
마땅한
악마가 있어!!!

담임으로서!
할 말이
있지 않아~?

처
어
억!

슬금...

슬금...

자아!
칭찬
해주실까…!!

어.

......

그래.

아무나
해낼 수 있는
일이 아니지.

바비루스의
역사 속에서도
유례없는
일이다.

1학년
반 전체가
「4」라니

독

독

......

저게
칭찬이야?

이루마
님...

본인들은
기뻐
보이네.

우와 아 아~

푸르손!
이쪽으로
와!!

오늘

이익,
그 정도로는
부족해!!

고마워,
소이.

우리와
함께
무대에
서줬잖아.

...나,
나,

나야말로….

화낼 힘도 없다

…저 자식, 우쭐대기는….

아하핫…

기쁘기도 할 테고, 즐거우니까요.

체!

끄하

안 돼!

네놈은 앞으로 특히 긴장을 풀지 마라.

…이루마.

와하하하

네놈은 앞으로 나름의 책무를 짊어지게 될 거다.

1학년이 랭크「5」에 도달하는 건 마계에서도 지극히 드문 일이다.

손···.

어느새
푸르손도
여자애로···.

어머님!!!

엉어?!

어머님??!

아, 안녕
하세요···

아들이
신세 많이
지고 있어요.
소이의
엄마랍니다.

됐으니까! 빨리 돌아가!

방금 왔는데...

쭉 있었잖아!!

쭝얼

쭝얼

쭝얼

쭝얼

이 엄마, 학생으로 오해받아서 정말 기쁘다.

엄청 닮았어~

네가 할 말은 아냐

어, 언제부터 계셨죠......?

건배할 때부터.

거의 처음부터 잖아요!

어?

쑤욱

그만 돌아갈게. 하지만 그 전에

이걸 받으렴.

......
여보세요.

이었다
더구나.

대성황……

설마
네 음악 재능이
이 정도일
줄이야.

눈치채지
못해서…
미안하다.

…….

아버지….

소이!

안녕~ 졸음알~

어엿하고 새로운 욕심 많은 당주가 될 테니까…

걱정하지 마세요.

아하하하 그럭서~

음악제에서 그렇게 주목을 받아 놓고…!!

더 주목받을 생각이냐!

픽시~ 엄청났어~

괜찮아요. 저는…

쏴 아···

당신.

동화종료

처음으로···
나한테
의견을···.

······.

소이가

정말···

고집불통인 점은
당신을 쏙
빼닮았다니깐···.

강하고
어엿한
당주가
될 거야…

나와
당신의
아이인걸….

괜찮아.

있지 않느냐.

다들 어디에….

얘! 선생님….

돌아왔나….

흥.

악마에 입문 했습니다! 이루마군

VOL.**20**

악마에 입문 했습니다! 이루마군

그 자식들
…….

제173화 ❂ 눈동자의 밑바닥

우쭐 대기는…!

뚜벅     뚜벅

아무리 연회라고 해도

오
복귀했어~!!

그 바르바토스한테 배운 활!!

랭크 「5」의 활은 엄청날 거야~.

몇 분 전

이루마! 화살 보여줘, 화살!!

제가 가져오겠습니다!

짓요!!

이루마찌는 가면 안 돼!

확보!!

윈-류 역역!

그럼 마구연에 깃털을 가지러…

깃 털

철 싹

다른 이들에게 끌려갈 테니 말이지…!

하아

이루마 님이 밖으로 나갔다간…

그것도 그럴 게 랭크 「5」!!

그 위광을 쬐고 싶은 악마는 셀 수도 없을 만큼 많을 테지!! 역시 이루마 님!!

으음
......

이루마 님이 선배와 이야기를 나누고 납득했다면, 저희도 납득했습니다.

자세한 건 묻지 않겠습니다.

키리오 선배 건은···.

고맙데이.

마구연은··· 너희가 지켜주고 있구마.

이루마 님이 힘써주신 덕분입니다!!

분명 활동 정지 됐을 거라고 생각했는디···.

그리고 이번 음악제에서 우승하면서, 이루마 님의 랭크는 「5」가 되셨죠!!

선배가 안 계신 사이에 이런저런 일이 있었습니다….

흑

흑

항~

대단 하데이.

그야말로 이 마계를 개척하실 분이십니다!!

그럼 니는 「지도」인 기가.

니가 있으니 개도 앞으로 나아갈 수 있는 거데이...

항상 이루마의 곁을 지키며 그가 나아갈 길을 불꽃으로 밝히는

......으.

그,

선배. 시간이 되시면 이루마 님을 만나러 가시죠.

분명 기뻐하실 겁니다.

그렇... 다면

기쁠 겁니다.

...그래.

내도...

이루마를 만나고 싶데이.

# 제174화  흑과 백의 악마

흥미 있지
않으신가요?

데루키라
님의

부활
말입니다.

부활이라고
지껄여?

감히

지고하기
그지없는
위대한
존재…
현 마왕에
대한

최대급의
불경.

마치
데루키라 님이
이미 이 마계에
안 계신다는
듯한 발언….

꾸욱…

그분의
소리로서…

말실수를 했습니다.

치직...

다시 만날 방법을...

말씀드리겠습니다. 데루키라 님과

방법을

너 덜...

토토
......

뭐고.
무지
남자다워
졌네.

황송
합니다.

키리요
님.

척...

키리요 님은
어떠셨습니까?
찾던 물건을
발견하셨나요?

후후...

휴에게
부탁
할걸...

수고
많았데이.

역시 전
헌팅은
영 아닌가
봅니다......

툭
툭

못 찾았데이. ...뭐

...그게

그래도

다음에는 가져갈 기다.

그렇습니까.

그럼 얼추 목적을 달성한 것 같으니

오래 있을 필요는 없겠죠.

바비루스의 개에게 들키기 전에…

돌아가도록
할까요.

빙긋

알고
있습니다.

비싸게
치를 거야.

나를
헌팅한
대가는···

이리오럼

『……

아리 씨!』

『해냈구나,
우승!!』

『여어,
이루 도령.
음악제,
수고 많았어.』

너무 오래
이야기하진
못할 것
같아.』

『아.
미안해,
이루 도령.

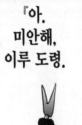

『응!
그리고 나
「5」랭크가….』

『뭐?』

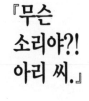

『조그만
파트너로서
너를 더
지켜보고
싶었어….』

『무슨
소리야?!
아리 씨.』

『기다려….』

『잠깐만.
가지 마.』

아리 씨!!

기다려,

저기.

이루
도령.

나는
네 교사도,
연인도
아니지.

그,
그래.

이 몸과
너는 가족이
아니고

친구
사이도
아냐.

이 마계에서
살아갈 수
없는…

우리는
서로가
없으면

# 제176화 🦇 러브러브 트리오

음악제
폐막 후,

1학년은
축제
뒷정리와
함께

단축 수업을
하며

서서히
평소 수업으로
돌아갔…

뜨겁다고,
아즈아즈!

무슨
일이야?

저기 봐.
클라링이
못 다가가서
야생으로
돌아갔어.

응….
날씨가
좋구나.

비상
사태야….

틀렸어.
말이
안 통해.

위험해!

언제 어디서! 상냥하지만 말투가 이상한 안경 쓴 악마가 당신을 덮칠지 모릅니다!!

매우 구체적 이네…

아즈?

왜그래?

이루마 님… 저는 친구로서 그저… 당신을 지키고 싶을 뿐입니다!

으~음

아니?

악주기 인가?

얍

말껴만 주십시오!!

음악제를 겪으면서 의욕이 이상한 방향으로 폭주했나 보네.

그리고! 아즈아즈도 좋아해!!

그리고 이루마찌는 나랑 아즈아즈를 좋아해.

맞지?

그리고 아즈아즈는 이루마찌를 좋아하고~.

나도 좋아하거든?

으, 응!

그러니까

하지만…
아즈와
단둘이
논 적은

없고…

단둘이 하고 싶은 이야기도… 있어!

알았어…!

나…
해볼게!

고마워,
클라라!

그런데
뭘 하면서
놀면
좋을지…

휴우….

생각보다 시간이 걸렸어….

원조 회귀에 관한 가르침을 청한 건 나지만…

너무 열중했어….

어~이!

앞으로를 위해서도 더욱 대비를….

아니… 지식은 많을수록 좋아.

옷 가게… 인가요.

응!

내 옷은… 항상 할아버지가 사주니까….

이루마 님의 옷을 고를 수 있다니……

어?

₩2600-

때—앵…

친구랑 같이 사고 싶었어…!

네!

맡겨 주시길!!

괜찮을까…

이런 가격의 옷이 있는 거야?! 저, 저주받은 옷인가?!

이것도?! 이것도?!

자, 자릿수가 잘못된 거 아냐?!

너무 싸!!!

캠페인 대상 20% 할인!!

아즈, 아즈.

두둥...

이런 게 있었어!

※마계의 고급 브랜드.

빨리 벗겨드려! 그리고 *아크마니를 가져와!!

이익!!

중고지만 레어한 물건입니다.

어라라! 안목이 좋으시군요.

무거워~~

학학

없어요~

부들 부들

몸이 으스러질 겁니다, 이루마 님!!

그럼 계산은 제가….

기다려!

으—음

60빌이 이거고—

감사합니다!

딱 맞네요!

아하

돈 계산도 이루마 님께는 일종의 공부인 건가…

만쥬

본점

만쥬

아까보다 계산이 훨씬 빨라!!

어마어마한 성장 속도!!

780빌이네요

여섯 개 주세요.

샀어~

와~~.

반짝

반짝

우

옛?!

마, 만세!

괜찮겠어?!

둘이서 박살을 내주죠

저도 사겠습니다.

리드와 자주 대전하는데

한 번도 이긴 적 없어.

음

호오…

옛

이 게임, 재미있어!

악마학교 2학년

맛있어—!

그건
그렇고
……

참 대담해
지셨어…

이루마
님은

시끌시끌킹

바보
클라라가
없으니
더 잘
알겠어….

원래는
웃음소리도
꽤 큰 편
이시구나….

처음
만났을 때는…
꽤 얌전한
성격이셨는데….

아~무것도
모른다
아이가.

저에게 같이
외출하자고
하신 거죠?

이루마 님은
왜 오늘

할 말이
있었지!

그래,
맞아!

아….

뒤적

!

「5」…

부담스럽
다고….

안
기뻐!
기쁘긴
하지만…!
부담?

?!
네?

음악제도 다 같이 우승했고….

역시 나한테는 아직 이른 것 같아.

가, 갑작스럽지 않아?!

안 그래? 「4」도 「5」잖아! 엄청난 거라고 들었는데…!!

아, 네!

솔직히 말해 처음에는 「나, 대단하다」라고 생각했어.

랭크 하이

욕심쟁이지?

저기…,
러브러브
트리오로서

앞으로도
서로를 도우며
함께 하고
싶달까….

그래서 역시
불안하니까,
아즈와 클라라도
앞으로 함께

가슴이,
불타오르는
것처럼
뜨거워…!!

아,
네!

왜,
왜 그래?!

괜찮아?!

그런 생각을 하면서 뭘 두려워한 거야, 아스모데우스.

『아무것도 모른단 말을 들은 자신이 한심해』….

『이분을 지켜야만 해』,

이분의 성장을 누가 이해할 수 있을까.

이분의 뜻을 누가 꺾을 수 있을까.

나는 가장 가까운 곳에서, 이루마 님이 개척하는 패도(覇道)를

나만큼 운 좋은 악마는 없어.

정점에 선 이분의 모습을

다행이야!

아~

음...

친구는 함께 노는 상대...인데

뭐니 뭐니 해도 저는 이루마 님의 **친구** 니까요!

저기...

클라라는 러브러브 트리오라고 했지만

나는 말이지,

서로를 돕거나 가장 신뢰하는 상대를

# 각 화의 보너스

## 177화의 보너스

『둘이서 놀러 가기 회의』.

에—이

나한테 맡겨. 놀이의 천재 클라라 누나가 화끈하게 리드해줄게!!

상상이 안돼…

하지만 둘이서 놀라고 해도…

팍팍 놀자 정글 크루즈 사 흐간 in 악자지경숲

발락가 추천 진흙탕 늪 수영대회

대형마슈 모구씨오 함께 지져덤헝 ~환성의 알음품

콰—락…

나도 같이 가는 거야?

정색 정색

뭐어~?!

뭐? 클라라와 단둘이서 놀기로 한 건……

연기.

## 171화의 보너스

실은 나도….

이루마. 나, 실은 눈치챈 게 있는데….

소곤… 소곤…

소이네 아침밥은 밥이야? 빵이야?

푸르손~! 질문!!

HEY!

우리 집은 밥——.

?

※ 푸르손의 1인칭은 일본어로 보쿠(僕). 어린 남자아이가 쓰는 1인칭.

반짝 반짝

보쿠 동맹 결성——….

보쿠 동맹 NO.3

어

# 최애의 길

여러분, 안녕하세요. 에이코예요.

저는 지금…

클래스메이트가 산속에서 폭포 수행을 하고 있어…!!!

바비루스 1학년 A반 오로바스 코코 취미: 등산

좌 좌 좌 좌 좌

수행 중 폭포… 입니다.

좌 좌 좌 좌 좌

음악제의 영상도 저분이 볼 수 있을 거야…!! 후후훗. 심신을 새로 단련한 지금의 나라면

산속 오두막에서 상영회를 하기로 했다.

그 모습을 똑바로 바라보지 못하다니… 나는 정말 미숙해.

음악제의 이루마 씨가 너무 눈부셔서.

좌좌좌좌작

그래서 심신을 다시 단련하기로 했어! 자신의 욕망과 마주해야…!!

# 철퍼덕

모두의 감상,
기다리고
있다고?

〒102-8107　東京都千代田区飯田橋2-10-8

**秋田書店 週刊少年チャンピオン編集部**気付 **西修先生**宛

## 후기

## 20권!

### 음악제, 수고 많으셨습니다!!

푸르손 소이라는 악마가 무사히 어브노멀 클래스에
섞이게 되어 정말 기쁩니다!
소이 아버지가 모습을 보일 예정은 없었습니다만
(문제아의 부모님은 그다지 출연시키고 싶지 않음)
음악제는 푸르손가의 이야기이기도 하니 가족
전원을 출연시켰습니다. 출연시키기 잘했어요.
참, 그리고 보니 그의 이야기도 해야겠군요.
정말 못 말리는 녀석이라니까요. 아즈가 가장
듣고 기뻐할 말과 무지 듣기 싫어하는 말을
동시에 하다니, 키리오의 『이 자식은 정말』 하는
느낌이 사람을 참 질리게 합니다.
각자가 각자의 길을 선택한 이번 권. 다음 권도
역시나 욕망에 충실한 모두들! 기대해주세요!!

## 믿음직한 동료들

### 스태프 THANKS

· 오사이 씨

· 히로카와 료 씨

· 야하바 아야 씨

· 하타케야마 카즈타카 씨

· 코토부키 나오키 씨

· 마이카와 세미 씨

· 노자와 아미노 씨

· 하치 씨

· 난고 코타 씨

저는 사이클
이 사람은 링피트

· 담당자 니시야마 씨

2024년 2월 28일 제1판 제1쇄 발행
2024년 6월 30일 제1판 제2쇄 발행

**작가** | OSAMU NISHI
**번역** | 이승원

**발행인** | 오태엽
**편집팀장** | 이수춘
**편집담당** | 이혜리
**미술담당** | 최진주
**표지 디자인** | Design Plus
**라이츠사업팀** | 이은선, 조은지, 정선주, 신주은
**전략마케팅팀** | 김정훈, 이강희, 정누리
**제작담당** | 박석주

**발행처** | (주)서울미디어코믹스
**등록일** | 2018년 3월 12일
**등록번호** | 제 2018-000021
**주소** | 서울특별시 용산구 만리재로 192

**인쇄처** | 코리아 피앤피

**MAIRIMASHITA! IRUMA-KUN vol.20**
©OSAMU NISHI 2021
Originally published in Japan in 2021 by Akita Publishing Co.,Ltd.
Korean translation rights arranged with Akita Publishing Co.,Ltd.
through TOHAN CORPORATION, Tokyo.

Korean edition, for distribution and sale in Republic of Korea only.
한국 내에서만 배본과 판매가 가능한 한국어판.

인지는 작가와의 협의하에 생략합니다.
잘못된 책은 구입하신 곳에서 교환해 드립니다.
문의 (02)2198-1736